La Escuela de Magia y otros cuentos

Michael Ende

Ilustraciones de Alfonso Ruano

Primera edición: septiembre 1995
Quinta edición (primera en rústica): junio 2003

Colección dirigida por Marinella Terzi
Traducción del alemán: Miguel Azaola

Título original: *Die Zauberschule und andere Geschichte*
© K. Thienemanns Verlag in Stuttgart, Wien, 1994
© Ediciones SM, 1995, 2003
   Joaquín Turina, 39 - 28044 Madrid

ISBN: 84-348-9581-1
Depósito legal: M-27903-2003
Preimpresión: Grafilia, SL
Impreso en España / *Printed in Spain*
Orymu, SA - Ruiz de Alda, 1 - Pinto (Madrid)

A modo de prólogo:
para ser exactos

TODOS los miembros de nuestra familia, desde los más viejos hasta los más jóvenes, han tenido siempre la misma pequeña debilidad: leer. Ninguno de nosotros está dispuesto en absoluto a dejar a un lado su libro un solo momento para hacer algo urgente o inaplazable. Lo cual no quiere decir que eso urgente o inaplazable no vaya a hacerse. Lo que pasa es que nos parece del todo innecesario renunciar a la lectura por ese motivo. ¿O acaso no se puede hacer lo uno sin dejar de hacer lo otro? Admito que ello provoca de vez en cuando alguna pequeña contrariedad... Pero ¿qué puede importar?

El abuelo está sentado, pongamos por

caso, en un mullido sillón de orejas, fumando su pipa y con un libro en las manos. Está leyendo. Al cabo de un rato sacude la pipa en el cenicero que tiene delante, sobre la mesita. Bueno, para ser exactos no es realmente el cenicero, sino más bien un florero. Por el golpeteo, el abuelo se acuerda vagamente de que hace un buen rato que tenía que haberse tomado su medicina para la tos. Así que agarra el florero y se bebe todo lo que contiene. «Mmm, humm –gruñe–, el café parece hoy más cargado que de costumbre; lástima que esté frío.»

La abuela está sentada, pongamos por caso, en el sofá que hay en el otro extremo de la habitación. Tiene las gafas sobre la nariz y hace calceta entrechocando las agujas de labor. Sobre el regazo tiene un grueso libro que está leyendo. Teje y teje... ¿Qué puede estar tejiendo? Un calcetín, naturalmente. Bueno, para ser exactos no es realmente un calcetín, sino más bien una especie de gigantesca serpiente de lana cuyos anillos cubren ya todo el suelo de la habitación. Mientras la abuela va pasando las hojas, dirige por encima de las gafas una rápida ojeada al monstruo y murmura: «Ya me parecía a mí que habíamos vuelto a tener fuego en casa. Pero los bomberos también podrían no dejarse la manguera tirada de cualquier manera, digo yo».

El padre es pintor retratista. Está, pongamos por caso, en su estudio, delante de un lienzo, pintando el retrato de una señora rica y distinguida. La señora está sentada ante él sobre una tarima, lleva en la cabeza un encantador sombrerito con flores y tiene su perrito sobre el regazo. El padre pinta con una mano y con la otra sostiene un libro que está leyendo. Cuando ya está listo el cuadro, la distinguida y rica señora se levanta y se acerca impaciente, dispuesta a admirar su retrato. Es un cuadro muy hermoso. Bueno, para ser exactos quizá resulte un poquito curioso que el padre haya pintado a la señora del sombrerito de flores con la cara del perrito, y al perrito del regazo con el rostro de la señora. Por eso la señora se marcha un tanto indignada sin comprar el retrato. «Pues vaya –dice el padre con tristeza–. Puede que no haya salido favorecida, la verdad..., pero se le parece mucho.»

La madre está, pongamos por caso, en la cocina preparando la comida. Afortunadamente, se ha olvidado de encender el quemador de gas que hay debajo de la cacerola, porque si no es muy posible que la comida estuviera a estas horas ligeramente carbonizada. Tiene en la mano un libro que está leyendo. En la otra mano blande una cuchara de cocina con la que revuelve y revuelve. Bueno, para ser exactos no se trata propiamente

de una cuchara de cocina, sino más bien de un termómetro. Al cabo de un rato se lo acerca al oído y dice meneando la cabeza: «Vuelve a atrasar una hora. Así no tendré nunca las cosas listas a tiempo».

La hermana mayor –ya tiene catorce años– está sentada, pongamos por caso, fuera, en el vestíbulo, junto al teléfono, y aprieta excitada el auricular contra su oído. Es cosa sabida que los teléfonos se han inventado especialmente para las hermanas de catorce años, ya que, sin el auricular en el oído, todas las hermanas de catorce años del mundo se morirían por falta de noticias lo mismo que un submarinista sin botellas de oxígeno se moriría por falta de aire. Pero nuestra hermana de catorce años, además, tiene en la mano un libro que está leyendo. A pesar de lo cual escucha perfectamente, faltaría más, todas las cosas emocionantes que su amiga tiene que contarle. Bueno, para ser exactos quizá no escuche tan perfectamente, porque la verdad es que no ha marcado ningún número. Y así, unas dos horas después, pregunta al fin, como de pasada: «Oye, ¿quién es ese Tutu del que me estás hablando sin parar?».

El hermano pequeño –tiene solo diez años– va, pongamos por caso, camino del colegio. Naturalmente, él también tiene un libro en la mano y lee, porque ¿qué otra cosa mejor puede hacer durante el largo trayecto en el tranvía? El tranvía se bambolea y traquetea, elevándose y descendiendo sin acabar de avanzar en ningún momento. Bueno, para ser exactos es que no se trata de un auténtico tranvía, sino del ascensor de nuestra casa, del que el hermano pequeño no se ha acordado de salir. Cuando, al cabo de varias horas, ve que todavía no ha llegado a la parada que hay delante del colegio, murmura preocupado: «Seguro que el profesor tampoco va a creerme hoy cuando le diga que si llego siempre tarde no es culpa mía».

El miembro más joven de nuestra familia, el bebé, está, pongamos por caso, tumbado en su capazo. Como es natural, en nuestra familia el bebé también lee. Igual que todos los demás, también él tiene un libro en la mano, solo que es más pequeño y pesa menos que los libros de los mayores porque es precisamente un libro para bebés. Con el otro brazo sujeta el biberón, pues su obligación, que él se toma muy en serio, consiste en alimentarse bien para hacerse grande y fuerte y poder leer pronto libros más grandes y pesados. Bueno, para ser exactos lo que sujeta con el brazo no es precisamente el biberón, sino más bien un tintero grande. Y no está bebiendo de él, sino que se echa de vez en cuando un chorrito de su contenido por la cabeza. La cosa no le importa en absoluto hasta que un espeso borrón de tinta le cae justo en la página que está leyendo, y entonces empieza a berrear bruscamente, gritando –y espero que nadie dude de que nuestro bebé lector también sabe hablar impecablemente–: «¡Que alguien encienda la luz, que se está haciendo muy oscuro!».

Nuestro gato, como la mayoría de los gatos, tiene la obligación de cazar ratones. Su profesión lo es todo para él, y por eso se pasa a menudo horas enteras sentado, pongamos por caso, delante del agujero que un ratón ha hecho en el fondo de la habitación a la izquierda, junto al armario ropero. Naturalmente, él también tiene un pequeño libro en sus zarpas, porque ¿a qué otra cosa mejor que a leer podría dedicar sus largas horas de acecho? (Y el que crea que un gato no es capaz de leer se sorprenderá al saber que este también sabe hablar.) Así es que está sentado, como he dicho, frente al

agujero. Bueno, para ser exactos no se trata del verdadero agujero de un ratón porque, mientras leía, los ratones lo han empujado, haciéndolo girar de modo que ahora está precisamente delante del enchufe. Al rato lo intenta agarrar metiendo las zarpas y le saltan chispas del rabo. «¡Miau! –maúlla asustado–. ¡Este libro está realmente cargado de tensión!»

Nuestra rana está, pongamos por caso, sentada dentro de su tarro. Tiene una función importante: subiendo o bajando por una pequeña escalera que hay dentro del recipiente, indica el tiempo que va a hacer. Cumple su misión con gran rigor científico siempre que no esté leyendo, ya que no es necesario explicar que, en nuestra casa, también la rana tiene un libro para ranas, resistente al agua y del tamaño de un sello de correos. (No voy a perder el tiempo diciendo que nuestra rana es capaz no ya de de leer sino de hablar.) Lo malo es que en realidad se pasa el tiempo leyendo, con lo que no dedica a su oficio principal la atención necesaria. Sin embargo hay momentos en que su mala conciencia la domina de repente y se acuerda de su obligación. Y entonces, para demostrar su buena voluntad, y mientras sigue sujetando el libro abierto con su mano húmeda, echa a correr a toda prisa escalera arriba. O bien desciende por ella con la misma rapidez y sin ningún sentido. Bueno, para ser exactos no la baja peldaño a peldaño, sino que da un paso en el vacío y cae dando tumbos estrepitosamente a lo largo de la escalera. «Si no me equivoco –croa entonces mientras se frota su espinilla verde–, el tiempo va a dar un bajón muy pronto.»

El único personaje de la familia que no lee es precisamente la polilla de la biblioteca, que vive, pongamos por caso, en el tomo octavo de la gran enciclope-

dia Espasa. No lee, no señor. Valora los libros exclusivamente desde el punto de vista de su comestibilidad. Por ello sus juicios al respecto sobre su «buen gusto» o su «mal gusto» tienen un valor muy limitado, y en la familia no la consideramos como un miembro de pleno derecho.

Quizá se pregunte alguien cuál es mi propia relación de parentesco con el resto de los miembros de la familia. Tengo que admitir que yo mismo no tengo las ideas muy claras al respecto. Bueno, para ser exactos no conozco a estas gentes en absoluto y –que quede entre nosotros– apenas creo que existan realmente. Es posible que toda la historia que acabo de contar haya salido como ha salido porque, mientras la estoy escribiendo, tengo delante un libro que estoy leyendo.

Y ahora solo me queda aconsejaros que hagáis vosotros lo mismo. Bueno, para ser exactos ya lo estáis haciendo, porque de lo contrario no hubierais leído todo esto. Así que estaos quietos y dejad que yo también siga leyendo.

1 La Escuela de Magia

COMO estoy seguro de que mis jóvenes lectores están ardientemente interesados por todo lo que tiene algo que ver con la escuela –¿o no?–, voy a contar ahora cómo tienen lugar las clases en Desideria.

Desideria es ese país en el que, según dicen muchos cuentos y narraciones, «desear todavía sirve de algo». Por otra parte, tampoco es que esté terriblemente lejos de nuestro mundo corriente, como creen la mayoría de las personas, aunque es bastante difícil llegar a él. De hecho, uno puede entrar sólo si recibe una invitación personal, ya que los habitantes de Desideria están decididos a que no los invada el turismo masivo. Puede que esto le parezca lamentable a alguien, pero en realidad es estupendo, como comprobarán pronto los que lean la presente historia.

La mayor parte de los magos de tiempos pasados proceden de este país. Hoy día prefieren quedarse en casa salvo muy raras excepciones. En realidad puede decirse que en Desideria todos pueden ser un poquito magos. Pero, para aprender a serlo profesionalmente y como es debido, hay que ir a una escuela.

Hace ya muchos años –más de los que lleváis en el mundo la mayor parte de vosotros– que uno de mis numerosos y largos viajes me llevó a este legendario país –como he dicho, con una invitación oficial, eso por descontado–. Con objeto de estudiar a fondo los usos y costumbres de sus habitantes, me quedé allí una temporada durante la que conocí a dos niños de los que me hice amigo. Eran gemelos: un chico llamado Mug y una chica que se llamaba Amalaswintha, pero a la que llamaban Mali para mayor facilidad. Tenían nueve años, ojos azules y pelo moreno; él cortado a cepillo y ella con coleta de caballo. Eran hijos de los posaderos a los que había alquilado una habitación, una pareja extraordinariamente amable cuyos dos hijos eran también muy simpáticos y me ayudaban en mis estudios lo mejor que podían. Gracias a ellos se me permitió asistir de vez en cuando a sus clases en la escuela, en las que casi siempre me sentaba detrás del todo, en el último banco, y escuchaba en silencio para no molestar.

En realidad, a una escuela así no puede ir cualquier persona, sino solo niños especialmente dotados; es decir, que cuenten con una fuerza para desear excepcionalmente poderosa. Por lo general, todos los niños son capaces de desear esto o aquello con mucha fuerza, pero a la mayor parte la cosa les dura muy poco tiempo y queda olvidada enseguida. Para ingresar en la Escuela de Magia hay que ser capaz de desear algo con gran perseverancia y de un modo auténticamente ferviente. Y para ello hay que pasar un examen previo.

La clase que yo conocí constaba de siete alumnos, aunque no voy a presentaros uno por uno a los otros cinco porque eso me demoraría considerablemente. Como comprobé después, siempre tenían que ser números impares por debajo de diez; nueve, pues, como máximo, y tres como mínimo. Si se habían inscrito para una clase más de nueve niños, se formaba con los sobrantes una nueva clase, y si el número era par, tenían que esperar hasta que se inscribiera uno más. Por qué era así es algo que no he conseguido averiguar, pero así era.

El profesor se llamaba Algamarino Platino, y era un señor gordito de edad indefinida, que llevaba puestas unas gafas sobre la nariz y un sombrero de copa azul celeste sobre la cabeza. Sonreía con frecuencia y daba toda la impresión de ser una persona a quien nada podía hacer perder la calma fácilmente.

El primer día que vino a clase todos los alumnos estaban sentados en sus sitios –yo detrás del todo, como ya he dicho– y le observaban expectantes. Él se presentó formalmente, saludó y le preguntó a cada uno su nombre, como suele hacerse también por aquí. Cuando hubo terminado, se sentó en un butacón junto a la pizarra, juntó las manos sobre la barriga, cerró los ojos y permaneció en silencio.

—Por favor, señor Platino –dijo Mug con voz un poco más alta de lo normal–, ¿cuándo empezamos con la magia?

Como el profesor siguió guardando silencio, volvió a repetir la pregunta en tono aún más alto. El señor Platino abrió los ojos y se le quedó mirando pensativo desde detrás de sus gafas. Luego sonrió y respondió:

—No necesitas gritar, hijo mío; no soy duro de oído. Ten un poco de paciencia, porque antes tengo que explicaros una cosa importante y estoy pensando cómo hacerlo.

Por fin, después de seguir otro rato en silencio, inquirió:

—Así que estáis todos aquí porque queréis aprender magia. ¿Por qué no me contáis cómo os imagináis en qué consiste eso de aprender magia?

Mali levantó la mano.

—He pensado que a lo mejor tengo que aprenderme de memoria toda clase de fórmulas y ensalmos, y quizá también algunos gestos y signos de esos que se hacen con las manos.

—Seguramente –dijo otro chico– habrá un montón de aparatos y de chismes que tienen que ver con todo eso y que tendremos que aprender cómo funcionan: retortas de química, o como se llamen, y tarros especiales...

—Y toda clase de raíces, y polvos, y remedios –gritó una niña.

—Y una varita mágica –propuso otra.

—O libros con escritura secreta –opinó un chico–, de los que solo se pueden descifrar cuando se conoce la clave.

—¡Y una espada mágica! –gritó Mug, entusiasmado.

—Y a lo mejor un manto largo precioso –dijo Mali, soñadora– de terciopelo azul con estrellas, y un cucurucho largo y puntiagudo...

—Todo eso –interrumpió el señor Platino– no son más que recursos externos, que para unos son importantes y para otros no. Lo que de verdad hace falta es mucho más sencillo y mucho más complicado a la vez. Y está dentro de vosotros mismos.

Todos se callaron, perplejos.

—Se trata de la fuerza de desear –siguió diciendo el señor Platino–. El que quiera practicar la magia tiene que ser capaz de controlar toda su fuerza de desear y saber utilizarla. Pero para ello primero tiene que llegar a conocer sus verdaderos deseos y aprender a manejarlos.

Volvió a hacer una pausa antes de proseguir:

—En realidad, de lo que se trata en el fondo es de conocerlos de verdad, clara y sinceramente, y todo lo demás se dará por añadidura, como suele decirse. Lo que ocurre es que averiguar cuáles son nuestros auténticos deseos no es tan sencillo como parece.

—¿Y qué es lo que hay que averiguar? –quiso saber Mug–. Cuando deseo una cosa, deseo esa cosa y se acabó. ¡Y la deseo un montón! De modo que no pasará mucho tiempo sin que pueda hacer magia...

—Por eso mismo os he hablado de los *verdaderos* deseos –aclaró el señor Pla-

tino–. Y esos solo puede encontrarlos quien vive su propia historia.

—¿Su propia historia? –preguntó Mali–. ¿Es que todos tienen una distinta?

—No, todos no; todos todos, desde luego que no –suspiró el señor Platino–; y eso que aquí, en Desideria, somos relativamente buenos en ese aspecto. Pero fuera de aquí, en el mundo corriente, la mayor parte de las personas no viven nunca su propia historia. Ni le dan a eso ningún valor. Las cosas que hacen o que les suceden las podría hacer o le podrían suceder exactamente igual a cualquier otra persona. ¿Es verdad o no?

Y al decirlo dirigió su mirada al lugar que yo ocupaba en el último banco. Todos los niños se volvieron a mirarme. Yo asentí tímidamente con la cabeza y me puse un poco colorado.

—Y por eso –volvió al hilo de su discurso el señor Platino– no llegan a descubrir nunca sus verdaderos deseos. La mayor parte de la gente cree que sabe lo que desea. Hay quien cree, por ejemplo, que le gustaría ser un médico famoso, o catedrático, o ministro, y en cambio su verdadero deseo, que él mismo ni siquiera conoce, es ser simplemente un buen jardinero. Otro piensa que le gustaría ser rico, o poderoso, pero su verdadero deseo es ser payaso de circo. Mucha gente cree también que desea sinceramente que a todas las personas del mundo les vayan bien las cosas y que todos puedan vivir felices y contentos, que los hombres sean amables unos con otros, que triunfe la verdad y que reine la paz... Pues esa gente muchas veces se asombraría si conociera sus verdaderos deseos. Creen que desean todas esas cosas porque les gusta verse a sí mismos como personas buenas y virtuosas. Pero que les guste algo no quiere decir exactamente que lo deseen de verdad. Sus auténticos deseos se inclinan a menudo hacia algo completamente distinto, e incluso, a veces, justo hacia lo contrario. Por eso en realidad nunca están de acuerdo consigo mismos. Y como esos deseos les resultan ajenos porque pertenecen a historias ajenas, nunca viven su propia historia. Y por eso mismo, como es natural, tampoco pueden practicar la magia.

—¿Eso quiere decir que el que está de acuerdo consigo mismo y conoce sus verdaderos deseos ya puede hacer magia? –preguntó incrédulo Mug.

El señor Platino asintió con la cabeza.

—A veces ni siquiera necesita hacer nada para que su deseo se cumpla. Parece como si todo encajara de forma espontánea.

Los niños se quedaron un rato pensando; luego, Mug preguntó:

—Pero ¿pueden hacer magia de verdad?

—Naturalmente –respondió el señor Platino con solemnidad–; de lo contrario, yo no sería vuestro profesor. Todo lo que voy a enseñaros os lo enseñaré precisamente porque ese es mi deseo.

—¿Y no podría usted –quiso saber Mali– hacer un encantamiento para que apareciera algo? Solo en plan de juego, quiero decir.

—Cada cosa a su tiempo –respondió el señor Platino–. Ya llegará el momento para eso. Ahora mismo no tengo el deseo de hacerlo.

Los niños parecieron algo decepcionados.

—¿Ha practicado usted la magia en serio alguna vez? –quiso informarse Mug, con la esperanza de escuchar, al menos, una historia.

—Naturalmente –contestó el señor Platino–. He deseado, por ejemplo, que vinieseis todos a mi clase de la escuela, y todos estáis aquí.

—Ah, ya –dijo Mug lentamente, e intercambió una rápida mirada con su hermana–, pero ¿y si no hubiéramos venido?

El señor Platino movió la cabeza sonriendo.

—El caso es que estáis aquí.

—¡Pero hemos venido voluntariamente! –gritaron todos los niños a la vez.

—¡Calma, por favor! ¡Ante todo, calma! –el señor Platino apaciguó la clase–. Claro que estáis todos aquí por vuestra voluntad. Y es que un buen mago respeta siempre la libre voluntad de las demás personas. No obliga a nadie. De modo que se han cumplido tanto vuestros deseos como los míos. Ahí está el misterio.

—¿Pero acaso no hay también malos deseos y magos malos? –preguntó preocupada Mali.

El rostro del señor Platino se volvió serio.

—Esa es una pregunta muy importante, querida Mali. Tienes toda la razón;

también hay magos malos. Pero muy pocos. Porque para serlo hay que estar también completamente de acuerdo consigo mismo, solo que para la maldad. Y eso casi nadie puede conseguirlo. De hecho, para ello se necesita no querer a nada ni a nadie; en el fondo, no quererse ni siquiera a sí mismo. Además, solo se tiene poder sobre los que no conocen sus verdaderos deseos y que, precisamente por esa razón, están en desacuerdo consigo mismos. Por eso es tan importante que os esforcéis y apliquéis en aprender, porque la magia es algo muy serio; incluso cuando se practica sólo para que otros se diviertan. Espero que todos me hayáis entendido ahora.

Los niños guardaron silencio y pusieron caras pensativas.

—Y ahora –continuó el señor Platino– os voy a enseñar las primeras y más importantes reglas de la fuerza del deseo.

Se levantó y escribió en la pizarra:

*1. Sólo puedes desear de verdad
lo que crees posible.
2. Sólo puedes creer posible
lo que pertenece a tu propia historia
3. Sólo pertenece a tu propia historia
lo que deseas de verdad.*

—Estas reglas –dijo el señor Platino, subrayando por segunda vez las líneas escritas– tenéis que metéroslas bien en la cabeza y meditarlas. Y aunque es posible que ahora mismo no las entendáis del todo, poco a poco os irán resultando más claras.

—¿Eso quiere decir –preguntó Mug, excitado– que si yo creyera posible, por ejemplo, que puedo volar, podría volar realmente? ¿Así de sencillo?

El señor Platino asintió.

—Podrías hacerlo, en efecto.

Mug dio un brinco.

—¡Lo voy a probar inmediatamente! Voy a subirme ahora mismo al tejado de la escuela y saldré volando.

Corrió hacia la puerta y el señor Platino no hizo nada para retenerle. Mug vaciló y se volvió hacia él.

—¿Y si me caigo?

El señor Platino se quitó las gafas y las limpió.

—¿Es que no estás seguro de que eso pertenezca a tu propia historia? –preguntó mientras comprobaba si veía bien a través de las gafas.

—No tengo ni idea –admitió desanimado Mug.

—¿Así que no lo crees posible sin el menor género de duda? –insistió el señor Platino.

—Pues no –dijo Mug encogiéndose de hombros.

—¿Puede ser entonces que no estés completamente de acuerdo contigo mismo? –quiso saber el señor Platino–. ¿No será que tienes en realidad otros deseos completamente distintos?

—Puede ser –contestó Mug.

—Pues en ese caso, mi querido Mug, te vas a llevar una desagradable sorpresa. Naturalmente, no volarás, sino que te caerás y te romperás una pierna. Y es que lo de la magia no es tan sencillo, porque, si lo fuera, esta escuela estaría totalmente de sobra, y lo estaría más tarde el Instituto de Magia de Secundaria, y después la Universidad de Magia. Pero quizá tú lo sepas mejor que yo y quieras intentarlo a pesar de todo...

—Mejor no lo intento –murmuró Mug, y se sentó de nuevo en su sitio–. Es mucho más difícil de lo que yo creía.

—Me alegra que lo reconozcas –dijo el señor Platino, y volvió a ponerse las gafas–. Y con esto ha terminado la clase de hoy. Adiós y hasta mañana.

Me fui para casa acompañando a Mug y a Mali. Estaban los dos sumidos en sus propios pensamientos y no quise distraerlos.

Durante las tres semanas siguientes estuve ocupado en otras cosas. El ministro de Fábulas y Cuentos de Desideria me había invitado a un viaje por el país en el que pude ver muchas cosas de extraordinario interés. Pero no hablaré ahora de eso. Lógicamente, en cuanto estuve de regreso, me dirigí a todo correr a la escuela para comprobar qué es lo que los niños –sobre todo mis amigos Mug y Mali– habían aprendido mientras tanto.

La clase entera estaba dedicada a practicar la primera lección, que consistía en conseguir que cualquier cosa pudiera moverse sin tocarla, solo con la fuerza del deseo. Mug tenía ante sí una cerilla y Mali una plumita, mientras que los otros niños lo intentaban con agujas de coser, lápices y palillos de dientes.

El señor Platino les mostraba una y otra vez el ejercicio a sus alumnos, y así, por ejemplo, colgaba su sombrero de copa del perchero y hacía que volviera a su cabeza, o mandaba a un trozo de tiza que escribiera solo sobre la pizarra.

Los niños, sentados en sus sitios, se esforzaban denodadamente hasta congestionarse, pero no les acababa de salir.

—A lo mejor no llegáis a establecer un buen contacto con las cosas que habéis elegido –sugirió el profesor–. Buscad otros objetos.

Así que los niños cambiaron y se pusieron a intentarlo de nuevo con gomas de borrar, gorras o cortaplumas. Mali se había colocado delante una pelota de pimpón, y Mug intentaba conseguir que una pequeña regadera regara una maceta que había en el alféizar de la ventana. Pero todo era inútil.

—Tenéis que imaginaros con todas vuestras fuerzas –explicó el señor Platino– que ese objeto os pertenece tanto como vuestras piernas o vuestros brazos.

Vuestras extremidades podéis moverlas sin saber por qué, lo hacéis simplemente porque forman parte de vosotros. De la misma forma, tenéis que meteros con la imaginación en esos objetos hasta que los sintáis desde dentro, como si fueran vuestros dedos o vuestra nariz. ¡Vamos, hacedlo, que es bien sencillo!

Y para demostrarlo, hizo que un cuaderno de apuntes saliera volando por el aula como si fuera una gran mariposa. Aleteó alrededor de la cabeza de Mug y le dio un par de papirotazos; luego flotó de vuelta hasta el señor Platino. En aquel momento la regadera saltó súbitamente en el aire, pero no voló hacia la maceta, sino hacia el señor Platino, sobre el que se inclinó y vertió toda el agua que contenía. Después cayó al suelo con estrépito.

—¡Arrea! —balbució Mug, asustado—. Perdone, por favor, profesor. Ha sido sin querer.

Toda la clase se rió. El señor Platino se secó la cara con un gran pañuelo azul, se sonrió satisfecho y dijo:

—Naturalmente que lo has hecho queriendo, Mug, hijo mío. De lo contrario no hubiera ocurrido. Lo que pasa es que ni siquiera sabes que ese era tu deseo. Por mí no te preocupes, que no soy de vidrio. Pero me alegro de que por fin hayas conseguido dar el primerísimo de todos los pasos. Ahora podéis ver todos que cualquier precaución es poca cuando se trata de magia.

No sé cómo explicarlo, pero el caso es que, a partir del éxito inicial de Mug, todos los demás niños parecieron ir descubriendo uno tras otro cómo hacer sus respectivos ejercicios. Al poco rato volaban zumbando por la clase todo tipo de cosas.

Una semana después pude comprobar que todos los niños estaban en condiciones de mover, con una ligera señal de la mano o incluso solo con la fuerza de su mirada, no ya pequeños objetos como lápices o pelotas de pimpón, sino que podían hacer que sillas y mesas se pasearan, o dejar un armario suspendido del techo. Porque, según me dijeron, aquello no tenía nada que ver con el peso.

Por su parte, Mug y Mali se servían a menudo de aquella recién descubierta destreza, con gran regocijo por parte de sus padres, ya que –a la hora de hacer los deberes– practicaban la fuerza de sus deseos para poner la mesa o fregar los cacharros. Cuchillos, tenedores, cucharas y platos desfilaban como si tuvieran vida propia, alineados y en formación hasta el comedor, o se alejaban de él para ir a la cocina a lavarse y secarse por sí mismos. Como es lógico, aquello les resultaba a los padres extraordinariamente práctico, y estaban muy orgullosos de sus aventajados hijos gemelos.

La segunda lección era más difícil, y muchos niños necesitaron todo un mes antes de que sus esfuerzos se vieran coronados por el éxito. La tarea consistía en evocar y hacer aparecer repentinamente objetos que no estaban a la vista, sino alejados a distancias más o menos grandes.

El señor Platino llevó a la clase unos imanes y una bolsita llena de finísimas limaduras de hierro, que depositó con cuidado sobre un trozo de papel.

—Aquí tenéis –explicó– un montoncito de limaduras de hierro. No tiene ningún orden en sí mismo. ¡Pero fijaos ahora!

Colocó los imanes debajo del papel e inmediatamente las limaduras formaron un dibujo bien definido.

—Mirad –dijo–, hasta este momento era el objeto que teníais delante, el imán para entendernos, lo que conducía la fuerza de vuestro deseo en una dirección bien definida. Pero, ahora que el objeto está en otra parte, tenéis que conseguirlo exclusivamente con vuestra propia fuerza.

Para ello era indispensable imaginarse el objeto en cuestión con tanta nitidez como si uno lo tuviera delante. En el empeño no debía uno permitir que absolutamente nada le distrajese, ni pensar en ninguna otra cosa. Cada mínimo detalle tenía su importancia, porque de lo contrario no podía dar resultado el experimento. O podía pasar que, por equivocación, uno hiciera aparecer otra cosa completamente distinta, como por ejemplo cuando a Mali le entró hambre durante la hora de clase y, en lugar de sus sandalias, que es lo que hubiera tenido que hacer aparecer, se encontró de pronto con un bocadillo pegado a la planta del pie.

Al principio los niños tenían que practicar con cosas que conocían bien y que usaban todos los días, como peines, cinturones o gorras. Empezaron por dejar esas cosas en la habitación contigua; más tarde, fuera, delante de la escuela. Y por último, cada vez más lejos. Luego, volvían a entrar en clase y deseaban que las cosas regresaran hasta ellos.

Cuando finalmente todos dominaron aquel ejercicio, el señor Platino pasó a enseñarles cómo hacer aparecer cosas que aún no conocían y que ni siquiera sabían dónde se encontraban. Para ello necesitaban una imagen del objeto, que tenían que grabar en su memoria con exactitud, o contentarse con una simple descripción, lo que ponía las cosas todavía más difíciles. Se trataba, por ejemplo, de una flor muy concreta que se daba en la cumbre de una determinada montaña, o de una cierta piedra del fondo de un mar determinado, o incluso de un valioso anillo que formaba parte de un tesoro enterrado. Pero lo más difícil de todo era desear, al final, que aquellas cosas regresaran al sitio de donde habían venido. El señor Platino, que normalmente era paciente y apacible, le dio especial importancia a esto último, y no toleraba ninguna negligencia.

—Solo los inútiles y la gente desleal –ponía todo su empeño en repetir constantemente– se quedan con lo que en realidad no necesitan, y arrastran al mundo al desorden.

El que contraviniese aquella regla, añadía, no podría volver nunca y dejaría inmediatamente de asistir a clase. Como es natural, aquello era algo que ningún niño quería, y no hubo ni uno solo que no se aplicara con todas sus fuerzas a hacer las cosas bien.

Como ya he dicho, los alumnos no permanecían continuamente en la escuela durante las prácticas, sino que con frecuencia debían alejarse mucho de allí.

Yo los acompañé en varias de aquellas excursiones, y así conocí las comarcas más bonitas de Desideria. Pero a menudo tenía que cumplir con mis propias obligaciones, y por eso no puedo asegurar que viera con mis propios ojos que los alumnos siempre consiguiesen devolverlo todo a su lugar de procedencia. No obstante, puesto que el señor Platino estaba contento con su rendimiento, lo daré por cierto y bueno.

Mientras tanto, el otoño había llegado a Desideria, soplaba un viento borrascoso y llovía la mayor parte de los días. Como soy propenso a enfriarme con facilidad, preferí quedarme en casa. Además había recibido del director de la Real Biblioteca el encargo de redactar un informe minucioso sobre los deseos inalcanzables en la vida cotidiana. Y aunque tan melancólico trabajo no era precisamente lo que más me apetecía, como huésped invitado por el país no podía rechazar aquella petición. Así que solo conozco la lección siguiente por lo que me contaron Mug y Mali, que me visitaban todas las tardes después de la tarea diaria y me informaban de sus progresos en la Escuela de Magia.

El señor Platino había empezado con la lección siguiente. En aquel caso se trataba del arte de transformar una cosa en otra distinta. Si no comprendí mal a mis dos jóvenes amigos, la actividad consistía en construir en cada ocasión un «puente mágico». Eso quería decir que había que encontrar lo que una cosa tenía en común con otra; qué era lo que les permitía a ambas ser afines. Y sobre ese «puente», como ellos decían, se llevaba a cabo, gracias a la fuerza del deseo, la transmutación en cuestión.

Cuando se trataba de transformar una manzana en una pelota, el ejercicio era relativamente sencillo. Todo el mundo ve enseguida que ambas tienen forma de bola y muestran por sí mismas su íntima afinidad, por decirlo de algún modo. Transformar, por ejemplo, un tenedor en una manzana resultaba ya más complicado. Para algo así había que proceder de la siguiente manera: un tenedor –un suponer– siempre es un tenedor, lo mismo si es grande que si es pequeño. Cuando un tenedor es grande, sigue dando lo mismo que sea de metal o que sea de madera. De hecho hay un tenedor de madera de distinto tamaño en el ramaje de cada árbol. Porque puede decirse que un árbol en el fondo no es otra cosa que un gran tenedor de muchos dientes. Lo cual incluye, por supuesto, al manzano. Su fruto, la manzana, es aparentemente solo una pequeña parte del manzano, pero en realidad esconde en el corazón de cada una de sus semillas otro manzano entero. Por eso se puede decir con

razón que una manzana es un tenedor. Y si eso es así, también tiene que ser cierto lo contrario: un tenedor es una manzana. Y basta que uno aplique la cantidad precisa de la mágica fuerza del deseo para que, sobre ese puente, consiga que una cosa se transforme en la otra.

De todas formas, en este ejemplo el puente es aún relativamente corto; se llega enseguida de una cosa a otra. Pero existen montones de series con conexiones muchísimo más complicadas, que precisan de veinte, cincuenta y hasta más de cien pasos intermedios. Mug y Mali tenían a veces que romperse la cabeza durante todo el día para llegar a terminar algunos deberes. El que no se lo crea no tiene más que intentar por sí mismo encontrar el puente mágico entre una máquina de coser y una pecera, entre un coco y una armónica o entre un par de zapatillas y unas gafas de sol.

—¿Y sabes lo más genial de todo? –me

dijo una noche Mali, entusiasmada–. Pues que en toda Desideria, y seguramente en todo el mundo, no existen dos cosas que no tengan algo que ver la una con la otra. Todo está relacionado de alguna forma misteriosa con todo lo demás, y por eso en realidad se puede transformar todo en todo... Siempre que uno sepa hacerlo, quiero decir.

—Eso es así –añadió Mug haciendo un gesto de perspicacia– porque en realidad todo es uno. Por lo menos eso es lo que ha dicho el señor Platino.

Tuve que meditar largo tiempo sobre aquello. Y hasta la fecha –lo digo sinceramente– no he llegado a ninguna conclusión.

La cuarta lección que siguió la dominaron todos los niños bastante pronto, por lo visto. Se trataba de ejercitar las capacidades adquiridas, no ya solo con objetos, sino con la propia persona. Cuando, al cabo de una semana más o menos, volví a darme una vuelta por la escuela, todos los alumnos estaban dedicados a trasladarse a otros lugares y regresar con la velocidad del pensamiento.

Por cierto que volvió a producirse de nuevo un contratiempo desagradable, desagradable en este caso para mi pobre amigo Mug.

En aquel ejercicio había que imaginarse con toda exactitud y en todos sus detalles el punto de destino al que se quería uno trasladar. Mug había elegido un bosque como punto preferido, pero se había olvidado de imaginarse uno de los muchos árboles que allí había. Cuando deseó trasladarse al lugar, chocó con tal violencia contra el tronco en cuestión que vio las estrellas y cayó al suelo aturdido. Pasó un largo rato antes de que pudiera regresar, y el señor Platino ya había empezado a preocuparse seriamente por él. Cuando por fin volvió a aparecer, tenía un hermoso chichón en la frente y un ojo morado, y le duraron los siguientes quince días, a pesar de que en casa su madre le aplicó enseguida compresas frías. Al menos la experiencia le sirvió de aviso, y también todos los demás pusieron desde entonces mucho más cuidado en sus ejercicios.

Otro ejercicio de la cuarta lección era volar. Una cosa es trasladarse a otro lugar en un abrir y cerrar de ojos, sin recorrer un trayecto por así decirlo, y otra muy distinta deslizarse por el cielo como un pájaro. Ahora los alumnos practicaban con ellos mismos los ejercicios que antes habían realizado levantando objetos y dejándolos suspendidos en el aire. Para empezar había que respirar con un determinado ritmo, luego contener la respiración un momento, levantar lateralmente los codos y, con un par de «aletazos», alzarse lentamente sobre el suelo.

Una vez que uno estaba en el aire, podía abrir los brazos y dirigir su vuelo moviendo las manos con mucho cuidado. Esto requería un cierto entrenamiento, y la mayor parte de los niños empezaron a dar volteretas en el aire porque se movían con demasiada brusquedad. Para empezar se ejercitaron dentro del aula hasta que pudieron flotar con absoluta seguridad bajo el techo de la habitación sin tropezar con nada. Solo cuando todos supieron hacerlo, se trasladó la clase al aire libre. Fuera resultaba mucho más difícil porque estábamos, como ya he dicho, casi en invierno y el tiempo era terriblemente borrascoso. El menor golpe de viento era suficiente para sacarle a uno de su trayectoria y aventarlo hacia cualquier sitio, pues no era posible agarrarse a nada. Pero a los niños aquello parecía más bien divertirlos, y chillaban y gritaban excitados como si estuvieran dando tumbos en una invisible montaña

rusa. El señor Platino, que, naturalmente, volaba con ellos, les invitaba inútilmente a la calma y al orden. Solo cuando unos cuantos chocaron con cierta violencia o se quedaron colgados de la copa de algún árbol, se reunieron todos y siguieron ejercitándose con seriedad y disciplina.

Mi estancia en Desideria se iba acercando poco a poco a su fin. Una tarde vino a visitarme nada menos que el señor Platino en persona. No lo había hecho hasta entonces y me imaginé que vendría por algún motivo importante. Accediendo a su ruego, nos retiramos a mi habitación para estar solos.

—Muy pronto estará usted de vuelta en el mundo normal, mi querido amigo –comenzó–, y supongo que tendrá la intención de informar en él sobre nuestra escuela, ¿me equivoco?

—En efecto –admití–, me había propuesto escribir alguna cosa al respecto.

—Bien –opinó el señor Platino–. No hay nada que objetar, como es lógico, pues para ello ha estado usted aquí. Y seguirá siendo bienvenido a nuestras clases como observador durante el resto de su estancia, querido amigo mío, aunque hay algo que quisiera pedirle encarecidamente.

—¿Y de qué se trata? –pregunté.

—Tiene que ver con los ejercicios prácticos de las lecciones que faltan –dijo el señor Platino–. No hay problema en que describa usted qué es lo que aprenden los alumnos, pero renuncie, por favor, a dar cualquier referencia sobre cómo lo hacen.

—¿Y por qué? –quise saber–. Eso es seguramente lo que más les interesaría a mis lectores.

—Mire usted, mi respetabilísimo amigo –explicó el señor Platino con gesto pensativo–, nunca se sabe a qué manos puede ir a parar su informe. En las clases prácticas de nuestros niños yo estoy siempre presente para ocuparme de que todo vaya bien y de que no ocurra ningún desgraciado accidente. Sin embargo, es posible que entre sus lectores haya personas irresponsables, frívolas o de poco carácter que no podrían resistir la tentación de intentar por sí mismas una muestra cualquiera de habilidad. Y eso podría tener funestas consecuencias, tanto para esas personas como para otras.

No pude evitar una sonrisa.

—No se preocupe usted lo más mínimo, admirado maestro –le tranquilicé–. En el mundo corriente y moliente su magia no puede funcionar de ninguna forma. Y además la mayoría de mis lectores no van a creer una sola palabra de mi informe.

—No obstante –insistió el señor Platino con gesto serio–, podría estar usted equivocado. Cumpla, pues, con lo que le he pedido, por favor.

—Si eso le tranquiliza... –respondí vacilante.

—¿Me lo promete entonces? –preguntó.

—Está bien, se lo prometo.

Debo, pues, mantener esa promesa, como es natural, aunque a mí personalmente me resulte un tanto innecesaria. Así que, desde ahora, solo contaré qué aprendían los niños, pero ya no diré cómo lo hacían.

La quinta lección consistía en hacerse invisible. En semejante estado no solo se podía ir a todas partes sin ser visto, sino –como en las lecciones anteriores– también trasladarse a los lugares favoritos o volar por los aires. Más aún, uno podía atravesar puertas cerradas y hasta espesos muros como si fueran de niebla.

Cuando Mug y Mali dominaron la técnica, me dijeron que hacerse invisible tenía también un inconveniente. Y es que solo se percibe el entorno de forma confusa, como a través de un velo. Por ejemplo, no se puede leer un libro o una carta, sino que hay que volverse visible para ser capaz de hacerlo. Además le queda a uno en el cuerpo una sensación bastante desagradable, y existe también un serio peligro. Si, por error, uno se hace visible, por ejemplo, cuando está atravesando un muro, una roca o algo por el estilo, se queda metido allí sin remedio.

Pero a ninguno de los niños le ocurrió semejante cosa. Bien se ocupó de ello el señor Platino. Sin embargo, sí que empezó a parecerme que la promesa que me había arrancado el profesor quizá no era tan infundada. Aunque, entonces como ahora, sigo convencido de que todas estas cosas son imposibles para nosotros aquí, en el mundo corriente, se me pone un poco la carne de gallina ante la mera idea de que pudiera ser de otro modo. Con todo, no fui totalmente consciente del valor indispensable de tomar precauciones hasta la última semana de mi estancia en Desideria, cuando tuvo lugar un desgraciado suceso que puso en peligro el pase de Mug y Mali a la clase del nivel superior. Pero será mejor que cuente las cosas por su orden.

Las lecciones sexta y séptima se solapaban entre sí de alguna forma, aunque en cuanto a dificultad se diferenciaban claramente una de otra. En ambas se trataba de crear algo: en la sexta lección, de crear cosas, y en la séptima, de crear seres. Así como suena. En Desideria, los alumnos de magia aprenden desde la escuela primaria a imaginarse cosas y seres que no han existido nunca ni en ninguna parte y, gracias a la fuerza del deseo, a convertirlos en realidad.

Así, lo mismo que en nuestro mundo se pinta, se dibuja o se modela, Mug y Mali se ejercitaban en producir cosas a partir de la nada, o mejor dicho a partir de su fantasía. Como antes, también en estos ejercicios era del todo imprescindible imaginarse con absoluta exactitud hasta el mínimo detalle, igual que si se tuviera el objeto en cuestión delante de los ojos. Pero ahora se trataba de que lo imaginado fuera completamente nuevo, sin recurrir a los modelos de los recuerdos.

La mayoría de los niños avanzaron despacio en este ejercicio, y tuvieron que dedicarle una y hasta dos horas de absoluta concentración para concretar en algo visible sus ocurrencias más simples. Algunas se hicieron realidad solo en parte, o sea que aparecieron incompletas: media muñeca, una pipa sin boquilla, una bicicleta sin ruedas... No obstante, al cabo de dos días, Mali ya estaba en condiciones de producir en un cuarto de hora escaso un vaso grande de zumo de frambuesa que podía beberse sin problemas. A partir de entonces todo progresó con gran rapidez. Una semana más tarde, Mug hizo aparecer en once minutos una locomotora entera y verdadera, soltando humo y vapor en medio de la clase. Todos se pusieron a toser, y estaban casi asfixiados cuando al fin consiguió que el artefacto desapareciera. Aparte de este incidente, era un verdadero placer contemplar todo lo que los niños producían: relojes de juguete y lámparas de araña, patines de hielo y estufas de azulejos, armaduras de caballero y catalejos, sombreros de *cowboy* y fuegos artificiales... ¡En una palabra, todo!

La séptima y última lección, la creación de seres vivos, era mucho más difícil y duró mucho más tiempo. Mali necesitó dos días enteros para su primer trabajo: un precioso pececito de colores que brillaba en la oscuridad y nadaba de un lado a otro dentro de un acuario. Estaba tan orgullosa de él y le gustaba tanto que le dio muchísima pena hacer que su pequeña criatura desapareciera. Pero el señor Platino, con toda seriedad y firmeza, les había dejado meridianamente claro, tanto a ella como a todos los demás, que era de la máxima importancia que siempre desencantaran escrupulosamente lo que habían conseguido crear y lo hicieran desaparecer, sobre todo si se trataba de seres vivos. Y es que, si una de aquellas criaturas llegaba a existir por su cuenta –al menos eso decía el profesor–, podían producirse repercusiones imprevisibles en el curso de la historia de quien la hubiera engendrado. De modo que algo así solo debía ocurrir cuando fuera absolutamente necesario y, sobre todo, después de haberlo meditado bien.

—Acordaos de esto: cada criatura modifica a su creador –repetía el señor Platino una y otra vez.

Y aunque los niños tenían en el fondo su propia opinión sobre la importancia del asunto, se la guardaron para ellos y se plegaron obedientemente a las consignas de su profesor.

Mug y Mali habían iniciado una suerte de competición en la que trataban de superarse mutuamente en ocurrencias extravagantes. Durante los días siguientes, ella creó mágicamente una especie de ave del paraíso que tenía una estampa magnífica y sabía silbar el himno nacional de Desideria, y él, un pequeño animal fabuloso que tenía el aspecto de un caballito en miniatura de color violeta y brillo de seda, y que, si se le preguntaba, daba la hora exacta golpeando con una de sus pezuñas delanteras. Enseguida

Mali ideó una seta saltarina y que tocaba la trompeta, y Mug, un hombrecillo de dos cabezas que se peleaba consigo mismo constantemente y que no dejó de protestar contra su propia existencia hasta que se le hizo desaparecer de nuevo. Por último, Mali creó una mujer-títere casi tan grande como ella misma, que sabía bailar ballet y que se puso a llorar y sollozar de una forma que partía el corazón cuando se enteró de que tenía que volver a desaparecer; Mug, por su parte, engendró un duende mecánico que sostenía obstinada y firmemente que él era el verdadero Mug, hasta el punto de amenazar al propio Mug con hacerle desaparecer si le seguía llevando la contraria. Mug, lógicamente, se hartó de él y se lo quitó de delante.

Y llegó la funesta última tarde de mi estancia en Desideria. Había llegado ya el invierno y el campo estaba cubierto de una gruesa capa de nieve. Con el fin de disfrutar por última vez de las bellezas del paisaje, salí a esquiar y, después de recorrer la helada ribera de un río, acabé internándome en un bosque. Al bajar una colina, caí tan patosamente que me disloqué un huesecillo del pie. Me dolía a rabiar, y cada vez que trataba de utilizar el pie los dolores eran más fuertes. Comprendí con claridad que no podría volver a mi alojamiento por mis propios medios. Llamé una y otra vez, gritando con todas mis fuerzas, pero era un paraje solitario y nadie me oía.

La tarde iba dando paso al anochecer, y el frío, que iba en aumento, se me iba metiendo poco a poco dentro de los huesos. Me sentía cada vez más y más cansado, pero luché contra la fatiga porque sabía que, si me dormía, aquel sería mi fin sin remedio.

Levanté la mirada al cielo, cubierto

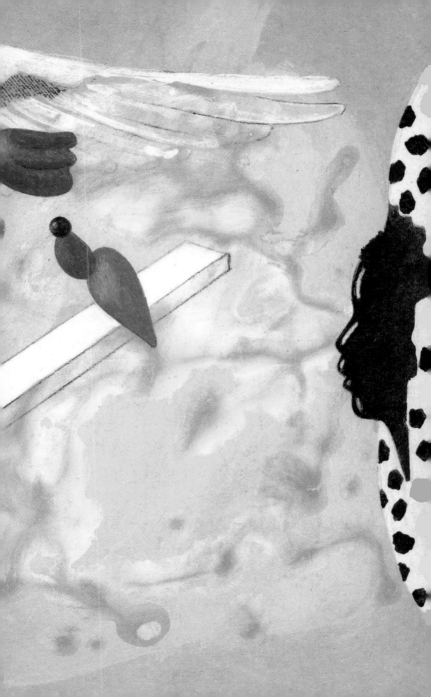

para entonces de un velo rojizo que iba oscureciéndose rápidamente, y vi de pronto, a gran altura sobre el bosque, dos formas diminutas que volaban de un lado a otro como si buscaran algo. Agité los brazos y grité con toda mi alma hasta que al fin me vieron desde allí arriba, se acercaron rápidamente y aterrizaron junto a mí. Eran mis dos jóvenes amigos Mug y Mali. No tengo inconveniente alguno en admitir que pocas veces en mi vida me ha alegrado la compañía de unos niños tanto como en aquel momento.

Expliqué rápidamente mi situación y los gemelos dijeron que se habían imaginado que algo pasaba y que por eso me estaban buscando.

—En cuanto quieras –propusieron– te llevamos inmediatamente a casa.

—Pero ¿cómo? –pregunté.

—Pues por el aire, como hemos venido nosotros. Entre los dos nos las arreglaremos.

Yo no soy de los que desconocen el vértigo, y solo con imaginarme revoloteando sobre el suelo a semejante altura, sin más sujeción que las cuatro tiernas manos de unos niños, me vinieron sudores de angustia a pesar del penetrante frío que hacía.

—¿Es que no hay ninguna otra posibilidad? –inquirí con voz apagada.

—Claro que sí –apuntó Mali después de pensar por un momento–. Haré que aparezca un animal para que puedas montarlo.

—Deja que de eso me encargue yo –dijo Mug–. Sé hacerlo mejor que tú.

—¿Qué quieres decir? –dijo Mali, poniendo los brazos en jarras–. ¿Cómo que mejor que yo?

—Tú tardarías una eternidad –contestó Mug–. Eso es lo que quiero decir.

—¿Te atreves a asegurar que tú puedes hacerlo más deprisa?

—¡Sin la menor duda, querida hermanita!

—¡Eso no te lo crees ni tú!

—¡Puedes estar segura!

—De ilusión también se vive.

—¡Ilusa lo serás tú!

Los dos gemelos empezaron a enzarzarse en serio y, como ya los conocía, comprendí que aquello podía continuar durante horas. Mientras tanto, el pie me dolía horriblemente.

—Escuchad –dije quejumbroso–, ¿no podríais hacer entre los dos una magia conjunta? (¡Ojalá no lo hubiera dicho nunca!)

Dejaron de discutir y me miraron sorprendidos.

—Pues la verdad es que no es mala idea –opinó Mug.

—¿Funcionará? –se preguntó Mali–.

Nunca hemos hecho una cosa así hasta ahora... Un trabajo colectivo.

—A lo mejor entre los dos se hace el doble de rápido.

—Vale. Vamos a probar.

Los dos cerraron los ojos para concentrarse.

—Tiene que ser un caballo –murmuró Mali.

—Sí, pero especialmente grande y fuerte –intervino Mug–, para que pueda llevarnos a los tres.

—A lo mejor con alas o algo así –propuso Mali–. De esa forma irá más deprisa.

—Vale. ¿De qué color?

—¡Oscuro!

—¡No! ¡Claro!

—Da igual, lo que importa es que sea brioso.

—¿Lo tienes ya?

—Aún no del todo.

—¡Espabila, que eres una plasta!

—Ya lo tengo.

—¡Pues vamos!

Durante un par de minutos se hizo el silencio. Los dos niños estaban a mi lado, sentados en la nieve, y cerraban los ojos con fuerza mientras apretaban los puños. Era evidente que se estaban concentrando con todas sus fuerzas. De pronto pudimos percibir los tres un ruido inquietante. Había retumbado una especie de grito; un sonido profundo y penetrante al mismo tiempo. Mug y Mali abrieron los ojos y yo me di la vuelta trabajosamente. A escasos metros de nosotros había un ser como en mi vida había visto otro.

Era realmente enorme e informe, como un hipopótamo del tamaño de un elefante. Su piel era a cuadros blancos y negros. Con la prisa, mis amigos se habían olvidado de la crin del cuello y de la cola. En su cráneo cuadrangular los ojos le brillaban como reflectores, pero no tenían pupilas, sino que parecían dos bolas de fuego. Solo tenía una oreja y un agujero en el lugar de la otra. Sobre su lomo aparecían como pegadas dos alitas ridículas que, además, eran transparentes como las de las moscas o las libélulas. El monstruo piafaba y se encabritaba sobre sus patas en forma de morcillas, y así podía verse que su piel estaba abotonada por debajo como un abrigo que le estuviera estrecho. Resoplaba salvajemente por las ventanas nasales, grandes como cubos, y arrojaba por ellas dos chorros de llamas de un color rojo azulado. Volvió a gritar –a aquello no se le podía llamar relincho– y al hacerlo abrió las fauces. No tenía ni dientes ni lengua.

—Es culpa tuya –susurró Mali.

—O tuya –repuso Mug, furioso–. Pero ahora ya da igual. Lo que importa es que nos lleve a casa.

—¿Cómo? –pregunté mientras los

dientes me castañeteaban–. ¿Pensáis que voy a sentarme encima de eso?

—No queda más remedio –dijo Mali–. No tenemos otra elección, y en todo caso es mejor que nada.

—Vamos, tranquilízate –me animó Mug–. Valor, viejo amigo.

Pero todavía ocurrirían más cosas. Cuando se dirigió hacia el monstruo para subirse en él, este retrocedió y trató de golpear a Mug con sus patas delanteras. Aunque no tenía herraduras, sonó como si hubiera descargado dos martillos pilones.

Mug estaba visiblemente asustado, pero procuraba que no se le notase.

—¡Eh, bestia, haz el favor de obedecer! –gritó con energía, aunque le temblaba la voz–. Como no hagas aquello para lo que te hemos creado, te hacemos desaparecer ahora mismo.

Cuando el engendro oyó tal cosa, dio un bramido que sonó lastimero y terrorífico a la vez y se enfureció, levantando nieve pulverizada con las patas traseras. Al mismo tiempo intentaba una y otra vez elevarse en el aire con sus alas minúsculas, pero solo consiguió dar un par de inútiles y ridículos saltitos. Durante un breve rato escuchamos todavía los chasquidos y crujidos de los matorrales y los árboles del bosque entre los que el monstruo desapareció. Luego se hizo el silencio.

—¡Vuelve aquí! –gritaron Mug y Mali–. ¡Vuelve inmediatamente!

Pero fue en vano. La fallida criatura no obedeció. Habían creado un monstruo y ahora el monstruo existía por su cuenta. A partir de aquel momento seguiría su propio camino.

Mug y Mali intercambiaron una larga mirada de preocupación.

—¿Qué dirá de esto el señor Platino? –murmuró él, y ella dio un profundo suspiro.

La verdad es que ya no recuerdo con exactitud cómo conseguí llegar a la posada. Para entonces estaba medio congelado y casi inconsciente. Creo que, a pesar de mis anteriores protestas, los gemelos me llevaron volando por el aire. De hecho aún encuentro en mi memoria un par de imágenes borrosas en las que me veo suspendido a una altura vertiginosa sobre un nocturno paisaje de invierno mientras alguien me sujeta por el cuello del gabán.

Después pasé varios días con fiebre alta, y mi pie estaba torpe y como dormido. Cuando al fin aquello pasó, me encontré en mi propia cama, de vuelta en el mundo corriente. Era obvio que me habían transportado desde Desideria hasta allí de alguna forma.

Lo primero que hice fue sentarme a escribir una carta para don Algamarino Platino en la que le relataba todo lo ocurrido. De alguna manera me sentía culpable yo también, ya que mis amigos habían ocasionado el desaguisado fundamentalmente por mi causa. Por eso me sentí muy aliviado cuando, dos semanas después, recibí una carta del profesor en la que me contestaba que, entre tanto, el asunto se había solucionado. De hecho, el pase de Mug y Mali a la clase inmediatamente superior había estado a punto de irse a pique, pero, considerando las especiales circunstancias del caso y sus extraordinarias aptitudes, se había acordado en último término hacer la vista gorda con ellos. En cuanto al malogrado producto de su magia colectiva, el profesor había seguido personalmente su rastro y lo había eliminado del mundo con la colaboración decidida de sus dos alumnos. La verdad es que fue lo mejor que le pudo ocurrir a aquella lamentable criatura. Mug y Mali habían madurado definitivamente con la experiencia y me mandaban sus cariñosos saludos.

Quiero terminar mi informe con esta agradable noticia. Como ya dije al principio, han pasado muchos años desde entonces y hace ya tiempo que mis dos jóvenes amigos van a la Universidad de Magia. De todas formas, para evitar todo posible malentendido, quisiera añadir que yo no aprendí nada de magia durante aquel viaje, de verdad, ni siquiera una pizca... Pero es que yo no nací en Desideria.

2 No importa

Hace no mucho tiempo que, cansado después de un día de trabajo, estaba yo sentado en la fonda con intención de cenar. Tenía un hambre considerable y pedí una salchicha a la parrilla con muchas patatas fritas y una jarra de cerveza fresca.

Mientras esperaba mi comida, pensé que no estaría mal saber qué había pasado por el mundo. Así que me levanté, atravesé la calle corriendo, me compré un periódico y estuve de vuelta en un momento.

¿Y con qué me encontré? Pues con que, mientras tanto, alguien se había sentado en mi sitio. Para ser exactos, se trataba de un niño.

Toda la vida he sido de los que piensan que se debe ser amable con los forasteros y, naturalmente, también con los niños forasteros. Me dije que aquel que estaba en mi sitio seguramente no tenía ni idea de que estaba sentado en mi sitio, y que sin duda no lo estaba haciendo a mala idea. Así que me dirigí a él, le toqué suavemente en el hombro con un dedo y le dije con toda la amabilidad de que fui capaz:

—Perdóneme, mi querido y joven amigo –le hablé de usted porque, aunque no aparentaba por su aspecto más de siete u ocho años, era de un tamaño impresionante–, siento tener que molestarle, pero da la casualidad de que está usted sentado en mi sitio.

El enorme niño me miró sorprendido y contestó:

—No importa.

Confieso que la respuesta me desconcertó. De hecho tenía razón: no importaba nada en realidad, porque me podía sentar exactamente igual en cualquier otro sitio. Y después de todo, no se debe ser tan severo con los niños. Así que me dejé caer sobre la silla que había a su lado, murmurando:

—Espero que no le moleste que me siente a su lado.

—No importa –respondió el niño asintiendo con un gesto de benevolencia; cogió el periódico de la mesa y se puso a leerlo.

«Bien –pensé–, en definitiva, ¿cómo puede saber este chico que todavía no he leído el periódico y que es ahora cuando me apetece hacerlo?»

Por otra parte, como persona que escribe libros, soy muy partidario de que todo el mundo practique la lectura, sobre todo los que, como aquel gigantesco niño, aún no saben hacerlo muy bien. Para leer bien era, como podía verse, todavía muy pequeño –quiero decir muy joven–. En cualquier caso, seguía las líneas con su enorme dedito de un lado a otro y de arriba abajo, arrugando y desbaratando el periódico de tal forma que pronto empezó a parecerme dudoso que quedara para mí algún resto que fuera legible. Como, por otro lado, tampoco quería mortificar al niño, le dije con amabilidad:

—Lo lamento profundamente, querido amigo; luego pondré mi periódico a su disposición para lo que usted quiera, pero ahora quisiera leerlo yo.

—No importa –farfulló el enorme niño, y continuó con su actividad lectora.

Aunque no tengo la menor duda de que su comportamiento no era malintencionado, creo que en aquel momento debería haberme defendido al menos un poco. Pero lo dejé correr. Además el camarero llegó en aquel preciso instante y puso ante mí, sobre la mesa, la cena y la jarra de cerveza. Mientras yo estaba todavía desplegando la servilleta, el enorme niño se puso a comer. Realmente parecía tener un apetito todavía más voraz que el mío, porque la salchicha a la parrilla desapareció dentro de su boca en un abrir y cerrar de ojos junto con absolutamente todas las patatas.

—En realidad –le reproché con suavidad–, había pedido esa cena precisamente para mí...

—No importa –me tranquilizó el niño mientras embutía en su boca el último trozo de la salchicha.

Solo un desalmado le quitaría la comida a un niño hambriento, ¿no es cierto? Y en aquel caso era realmente una alegría ver cuánto le estaba gustando. Aparte de todo, de esa forma tendría aún la oportunidad de echarle una rápida ojeada a mi muy maltrecho periódico. Lo alisé y estiré la mano distraídamente hacia mi jarra de cerveza... cuando vi que mi joven amigo se la había llevado a los labios y se la había bebido entera. ¡De un trago, sin respirar! Aunque tengo que reconocer que semejante actuación me dejó impresionado, esta vez me sentí con derecho a una cierta crítica, no por mí, sino porque me preocupó su salud. ¡Seguro que tales cantidades de cerveza no pueden ser sanas para niños de una edad tan tierna! De modo que dije, con algo más de energía que antes:

—Me temo, querido niño, que eso no le va a sentar a usted nada bien.

—No importa –aseguró con voz amable, y me soltó tranquilamente en la cara un eructo que retumbó como si saliera de la barriga de un hipopótamo.

No me gustaría que nadie creyera que le estaba tomando la más mínima aversión a aquel niño, pues era del todo evidente que estaba haciendo aquello sin ninguna mala idea. Pero el caso era que yo estaba cada vez más hambriento, porque uno no se sacia viendo comer a otro

precisamente. Por desgracia ya no me quedaba dinero suficiente para procurarme una segunda ración y una segunda jarra de cerveza. Pero me acordé de que en casa aún tenía pan y leche. Aquello podía ser bastante para la ocasión. Así que pagué la cuenta, me volví hacia el enorme niño y le dije, excusándome:

—Siento tener que marcharme...

Me detuve sin llegar a salir porque, por su expresión de desencanto, comprendí que le había entristecido. ¡Y eso, como todo el mundo sabe, no se le puede hacer a un niño! De modo que añadí precipitadamente:

—En otra ocasión tendré el mayor placer en invitarle a mi casa, pero hoy, desgraciadamente, no tengo nada que pueda ofrecerle...

—No importa –dijo el niño, visiblemente contento, y se levantó y salió conmigo a la calle.

Fuera estaba ya oscuro. Mientras trotábamos juntos calle abajo, empecé a sentirme preocupado por mi joven acompañante. Le dirigí una mirada escrutadora de abajo arriba –me sacaba por lo menos una cabeza– para deducir de su semblante lo que se proponía. Pero la expresión de su cara seguía siendo invariablemente afable, algo soñolienta en todo caso.

—Mi querido y joven amigo –empecé a decir con cautela al cabo de un rato–, es inmensamente amable por su parte que quiera usted acompañarme todavía un trecho, pero creo que será más sensato que le lleve a su casa por el camino más rápido. Ya son horas más que avanzadas para una persona tan joven como usted, y veo que está cansado y tiene ganas de dormir.

—No importa –contestó el niño bostezando.

Estoy seguro de que todos estarán de acuerdo conmigo en que no se debe rechazar un gesto de amabilidad por parte de un niño. Solo pretende agradar, y probablemente le apenaría que su buena disposición fuera rehusada con frialdad. Así que no dije nada más.

Yo vivo solo, en los arrabales de la ciudad, en una casita rodeada por un bonito jardín florido. Debería decir más bien que allí es donde vivía, aunque fuera hace solo unos pocos días. Pero contaré las cosas por su orden.

Cuando llegamos ante la puerta de mi casa, decidí recurrir a una mentira salvadora. Sé bien que una mentira siempre es algo que está feo, pero pensé que si le decía a mi joven amigo que, en mi opinión, un niño de su edad nunca y bajo ningún concepto debe marcharse por ahí con extraños, y mucho menos a semejantes horas, era posible que pensara que abrigaba sentimientos hostiles contra él. Una cosa así podría decepcionarle, en definitiva. Por eso exclamé con fingida sorpresa:

—¡Vaya por Dios! ¡Ahora resulta que me he dejado la llave y no voy a poder abrir!

—No importa –dijo el enorme niño, y retrocedió unos pasos.

Me sentí aliviado, y estaba pensando en ofrecerme para acompañarle a casa de sus padres cuando vi que había retrocedido sólo con la intención de tomar carrerilla. Corrió hacia la puerta de mi casa y la rompió de una patada. En aquel momento me surgieron serias dudas sobre si a un niño no se le debe prohibir una cosa así, con independencia de que se sienta ofendido por ello o no. Sin embargo, estaba claro que mi joven amigo tampoco había obrado con mala intención esta vez. Conque me limité a decirle con un cierto tono de reproche:

—La verdad es que mi puerta de en-

trada estaba todavía en muy buen estado...

—No importa –dijo el enorme niño
en tono consolador, y entró en la casa.

Tuve que quedarme fuera unos momentos para respirar hondo y secarme el
sudor frío de la frente. Fue, desde luego,
un error por mi parte, porque no debe
dejarse a los niños sin control, sobre
todo en una casa que no conocen y en
la que no pueden encontrar la llave de
la luz. El caso es que desde el interior
de la casa llegó a mis oídos un fragoroso
estrépito seguido de un grito de dolor
que me heló la sangre en las venas.

Me precipité dentro, encendí la luz y
vi al enorme niño sentado en el suelo
entre los cristales rotos de mi precioso
acuario, chorreando agua y cubierto de
algas verdes. A su alrededor se agitaban
y daban brincos por el suelo todos mis
pececitos.

—¡Por el amor del cielo! –exclamé

fuera de mí, aterrado al ver que el enorme niño empezaba a hacer pucheros como si fuera a llorar–. ¿No te habrás hecho daño, verdad?

Con mi preocupación me olvidé completamente de que hasta aquel momento le había estado hablando de usted. Pero no se tomó a mal semejante confianza. Contuvo animosamente las lágrimas y aseguró sonriendo:

—No importa.

A partir de aquel momento, mis recuerdos son un poco confusos porque los acontecimientos se precipitaron. Sí recuerdo que salí disparado a la cocina para traer, lo primero de todo, un cubo lleno de agua porque quería salvar a mis peces. Cuando volví a entrar en la habitación con el cubo lleno, vi que el enorme niño había abierto mi armario ropero, había sacado de él mis camisas y trajes y estaba secando el suelo con ellos. Comprendí inmediatamente que no lo estaba haciendo con ninguna mala intención, como es natural, sino que estaba tratando de reparar los daños.

Mientras recogía mis peces y los echaba en el cubo, le aclaré cuidadosamente al niño que los trajes y las camisas no son lo más apropiado para secar el suelo, porque así se ensucian y se rompen.

—No importa –respondió alegremente, como para demostrarme que aquel pequeño error no iba a desmoralizarle.

Corrí de nuevo a la cocina con el cubo en el que nadaban los peces y busqué algún recipiente apropiado donde colocar provisionalmente a mis animalitos del alma, porque necesitaba el cubo para recoger el agua derramada. Mientras estaba todavía ocupado en mi búsqueda, oí un ruido singular procedente del cuarto de estar. Pero, como no le siguió ningún grito de dolor, no me preocupé por ello. Sé bien que a los niños no les gusta que se les diga a cada paso que no deben hacer esto o aquello.

Cuando al fin volví a entrar en la habitación, mi joven huésped había tendido una cuerda de un lado a otro del cuarto, para lo que había tirado y hecho pedazos un valioso espejo y dos cuadros, y había colgado de ella mis chorreantes trajes y camisas para que se secaran. Me conmovió ver tanta buena voluntad. Lo malo era que el chico –con el saludable propósito de que las cosas se secaran más deprisa– había encendido sobre la alfombra, en mitad de la habitación, una gran fogata justo con todos los papeles que había encontrado en mi mesa de trabajo.

Naturalmente, el niño lo había hecho con toda su buena intención. No podía sospechar que aquel montón de hojas de papel eran el nuevo libro que yo acababa de terminar de escribir. Di un salto y saqué de las llamas las hojas que aún no se habían quemado del todo, para salvar por lo menos algo.

Cuando mi joven huésped vio aquello, siguió inmediatamente mi ejemplo, pero lo consideró por lo visto un juego divertido, ya que desparramó los trozos de papel ardiendo por toda la vivienda.

—¡Quieto! –grité–. ¡No hagas eso! ¡Prenderás fuego a toda la casa!

Luego, todo fue muy rápido. Me dio tiempo todavía a llamar a los bomberos y después tiré del niño –que se reía divertido y era evidente que no comprendía en absoluto el peligro en que estábamos– escaleras arriba, ya que el camino hacia la puerta de entrada estaba bloqueado por unas llamas crepitantes. Por último, a través de una claraboya del desván, nos encaramamos al tejado.

—Escucha –jadeé a través del denso humo que nos rodeaba–, ahora tienes que ser sensato y poner atención para hacerlo todo correctamente. Tenemos que saltar desde aquí.

—No importa –dijo el niño. Y saltamos.

A él, por fortuna, no le pasó nada porque cayó sobre mí, o sea relativamente en blando, mientras que yo me rompí un brazo y una pierna.

Lo último que recuerdo con claridad, cuando por fin llegaron los bomberos y me evacuaron en una camilla, es al enorme niño. Estaba allí de pie, iluminado por la casa en llamas, y me miraba con simpatía. No había la menor duda de que no había hecho nada de todo aquello con mala intención.

Estoy en la cama de un hospital desde hace quince días con un brazo y una pierna escayolados. Aún pasará una temporadita antes de que me dejen salir de aquí. Tendré que buscarme en ese momento una nueva casa. También necesitaré comprarme ropa nueva, y deberé volver a empezar mi libro desde el principio. No he vuelto a ver al enorme niño. Para ser sincero, no me disgustaría que en el futuro las cosas siguieran así.

3 Moni pinta una obra maestra

Moni y yo somos los mejores amigos que nadie se pueda imaginar. Aunque ella solo tiene seis años y yo soy aproximadamente diez veces más viejo, esa diferencia no nos importa a ninguno de los dos.

Cuando viene a visitarme, jugamos juntos sin pelearnos. O charlamos tranquilamente y nos contamos lo que pensamos del mundo y de la vida, algo sobre lo que siempre tenemos los dos la misma opinión. O nos leemos mutuamente nuestros libros favoritos, para lo cual no representa ningún problema que Moni todavía no sepa leer, porque de todas formas se sabe su libro preferido de memoria, y yo también. Nos tenemos un gran respeto mutuo: yo por ella, por las insólitas ocurrencias que tiene, y ella por mí, porque sé apreciarlas en lo que valen.

A veces nos hacemos pequeños regalos, aunque no sean para celebrar ocasiones especiales como los cumpleaños o las Navidades. Suele decirse que «los pequeños regalos sustentan la amistad». Y eso es algo que nos importa mucho a los dos.

Por ejemplo, hace poco que le regalé a Moni una caja de acuarelas, papel y un pincel.

Moni se alegró, y yo también me alegré de que ella se alegrara. Así son siempre las cosas entre nosotros.

—Para darte las gracias –dijo ella–, yo también te regalaré algo a ti. Voy a pintarte ahora mismo un dibujo precioso.

—¡Caramba! –le contesté–. ¿De verdad? ¡Muy amable por tu parte!

—¿Qué te gustaría? –quiso saber.

Reflexioné.

—Lo que más me gustaría –acabé por

explicar– es una sorpresa. Algo que tú misma te inventes.

—Vale –dijo, y se puso en el acto manos a la obra.

Ponía tal concentración que la punta de la lengua casi le llegaba a las ventanas de la nariz. Yo la miraba con toda atención. Estaba lleno de curiosidad por lo que pudiera ocurrírsele esta vez.

Al cabo de un rato, la obra pareció estar terminada. Ladeó la cabeza, introdujo todavía algún pequeño retoque aquí y allá con el pincel y, por último, me puso el dibujo encima de la mesa.

—¿Qué? –me preguntó expectante–. ¿Qué te parece?

—Extraordinario –le contesté–. ¡Muchas gracias!

—Entonces, ¿sabes lo que es?

—Naturalmente –me apresuré a asegurar–, es un conejo de Pascua.

—¡Qué tontería! –exclamó Moni con una pizca de enfado–. Si estamos en pleno verano. ¿Cómo va a ser un conejo de Pascua?

—Pensaba –murmuré algo desalentado– que estas dos puntas de aquí que salen para arriba podrían ser las orejas.

Moni movió la cabeza con desaprobación.

—¡Pero si son mis coletas! Es un autorretrato mío. ¿Es que no lo ves?

—Debe de ser culpa de mis gafas –me disculpé, y las limpié con el pañuelo. Cuando me las hube colocado de nuevo, observé el dibujo con más detenimiento.

—¡Naturalmente! Ahora lo veo claro –dije–, y además es un autorretrato con un parecido extraordinario. Cualquiera te reconocería inmediatamente. Te pido disculpas.

—Pensaba –dijo Moni– que seguramente es mejor que una foto.

—Mucho mejor –acordé.

—En realidad todo el mundo tiene una foto –continuó.

—Es cierto, no tiene nada de particular –afirmé–; en cambio, casi nadie tiene el autorretrato de un artista; a lo mejor solo una persona entre un millón. Es algo muy poco frecuente. Muchas gracias otra vez.

Contemplamos el dibujo juntos un rato.

—Si tienes algo que criticar –dijo Moni, magnánima–, no dejes de decirlo.

—Nada en absoluto –aseguré–. ¡Cómo iba yo a hacer eso! Aunque, ya que me lo propones tú misma..., me resulta un poquito incómodo que aparezcas en el dibujo como suspendida en el aire. ¿No se podría pintar debajo una cama sobre la que estuvieras tumbada, para que te encontraras más cómoda? Es solo una opinión.

Sin decir una palabra, Moni recuperó el dibujo, volvió a empuñar el pincel y pintó una imponente cama con dosel de color marrón en torno a su autorretrato.

Tenía altas columnas en sus cuatro esquinas y un baldaquín encima; ni una reina hubiera podido soñar con una cama con dosel más bonita. Y era tan grande que llenaba toda la hoja de papel.

—¡Caray! –dije elogiosamente–. Eso es lo que yo llamaría un mueble noble.

Sin embargo, era evidente que la figura que yacía sobre la cama resultaba ahora más bien pequeña y mezquina, casi miserable. No se lo dije, pero, como muchas veces pensamos las mismas cosas, a Moni se le había ocurrido lo mismo por su cuenta.

—¿No te parece –opinó dubitativa– que quizá debería ponerme un camisón precioso que pegue con el resto de la obra?

—La verdad es que sí –respondí–. Una cama tan regia requiere un camisón igual de regio.

Así es que Moni pintó sobre la figura un camisón muy largo y muy ancho que, si no interpreté mal el dibujo, parecía tachonado de estrellas doradas. Solo asomaba fuera de él la cabeza con las coletas.

—¿Qué te parece ahora? –preguntó.

—¡Majestuoso! –tuve que reconocer–. ¡Muy impresionante, de verdad! Pero, a pesar de todo, me preocupa tu salud.

—¿Por qué?

—Bueno, entiéndeme bien... Ahora en verano hace suficiente calor como para dormir así. Pero ¿qué harás en invierno? Sin ninguna colcha, me temo que pillarás un resfriado espantoso. Deberías pensarlo ahora que estás a tiempo.

No había cosa que Moni odiara más que ponerse enferma y tener que tragar medicinas. Por eso hizo inmediato acopio de una buena cantidad de color blanco y pintó sobre su autorretrato y su lujoso camisón un enorme y mullido edredón del que ahora solo asomaban las puntas de las coletas.

—Parece realmente calentito –dije–. Creo que ya podemos estar tranquilos.

Pero Moni aún no estaba satisfecha; se le había ocurrido una nueva idea. Con color azul oscuro pintó dos pesadas cortinas que colgaban corridas desde lo alto del baldaquín. Tanto ella misma como el camisón y el edredón habían desaparecido detrás de ellas.

—¡Arrea! –exclamé estupefacto–. ¿Qué ha pasado?

—Es solo que he cerrado las cortinas –explicó–. Para eso están.

—Es cierto –admití–. ¿Para qué sirven unas cortinas si se tienen abiertas? Para eso no haría ninguna falta una cama con dosel.

—Y ahora –siguió Moni entusiasmada– voy a apagar la luz.

Y cubrió todo el dibujo de negro.

—Buenas noches –murmuré involuntariamente.

Me pasó el dibujo terminado, en el

que ahora reinaba la más absoluta oscuridad.

—¿Estás ya contento? –preguntó.

Contemplé aquella negrura durante
unos momentos y luego hice con la cabeza un gesto de aprobación.

—Es una obra maestra –dije–, sobre
todo para el que sepa todo lo que contiene de verdad.

4 Tabarrón y Gangosete

EN su viaje en busca del fabuloso Absurdistán, el mundialmente famoso tontorrónomo y majaderólogo Estanislado Respingado descubrió un día en medio del océano una isla que no aparecía pintada en ningún mapa. Ordenó al capitán de su barco que echara el ancla frente a la costa y remó él solo en un bote hasta tierra.

La isla entera tenía la forma de un sombrero puntiagudo de color azul ultramar. La playa era, como si dijéramos, el ala, y a unos veinte o treinta metros de distancia se levantaba una montaña de piedra resquebrajada en forma de cono. No parecía que en dicha isla hubiera ningún tipo de planta: ni árboles, ni arbustos, ni hierba, ni musgo.

Cuando Respingado andaba alrededor de la montaña tratando de calcular qué altura podría tener, se detuvo de pronto ante un cartel indicador que le señalaba dos caminos distintos. En el brazo que apuntaba hacia la derecha ponía A CASA DE TABARRÓN, y en el que apuntaba hacia la izquierda se leía la inscripción A CASA DE GANGOSETE.

En un primer momento Respingado no fue capaz de decidir qué dirección debía tomar, pues no conseguía imaginarse nada relacionado con ninguno de los dos nombres. Sin embargo, acabó descubriendo algo que le facilitó mucho la elección: solo había un único camino, concretamente el de la derecha. A la izquierda, o sea por donde se iba a casa de Gangosete, no había más que un terreno sin caminos formado por acantilados muy difíciles de escalar.

Respingado se decidió, pues, por la cómoda y bien construida ruta hacia la casa de Tabarrón, que giraba siempre hacia la derecha y rodeaba el cono de la montaña describiendo una gran espiral ascendente. Estaba claro que el tal Tabarrón debía vivir en lo alto de la cima.

Cuando llevaba recorrida más o menos la mitad del camino, el viajero investigador se detuvo para tomar aliento y mirar hacia atrás. Dirigió la vista abajo, hacia el barco que seguía anclado fuera, en el mar, y vio también el pequeño bote en la playa... Pero ¿dónde estaba el camino por el que había llegado hasta allí? No había ya senda; había desaparecido sin dejar rastro. Es decir, que no existía ningún camino detrás de él, porque lo que era el trecho que le quedaba por delante y subía hasta la cumbre, ese mostraba su presencia fuera de toda duda. Semejante descubrimiento le resultó chocante al investigador, que tuvo la desagradable sensación de estar encaminándose hacia una trampa.

Despacio y paso a paso siguió ascendiendo montaña arriba, pero se volvía continuamente a mirar hacia atrás, comprobando cómo, en efecto, inmediatamente detrás de sus pisadas el camino se iba haciendo borroso y desaparecía sin dejar ninguna huella hasta el punto de que parecía que no había estado allí nunca. Respingado se detuvo de nuevo y reflexionó. ¿Debía seguir avanzando o era más aconsejable retroceder e ir bajando? Lo malo era que volver significaba descolgarse por los riscos del acantilado azul. Y si perdía el asidero, despeñarse y romperse la crisma. Por otra parte, se decía Respingado, no acababa de encontrarle ninguna explicación plausible a aquella extraordinaria circunstancia del camino que desaparecía. Y el viaje en busca del fabuloso Absurdistán aún le reservaba sin duda dificultades mucho mayores que aquella. Además no estaba claro en absoluto que la cosa supusiera una verdadera amenaza; en realidad no había tropezado hasta ahora con nada verdaderamente grave.

Así que cobró ánimo y siguió caminando montaña arriba. El camino en espiral se hacía más y más estrecho a medida que se acercaba a la cima y, cuando salió de la última curva, se encontró inesperadamente ante una pequeña cabaña de madera, de forma circular y con un aspecto bastante miserable.

Respingado se acercó unos pasos y vio que sobre la puerta colgaba un rótulo con la siguiente inscripción:

TABARRÓN
Cordialmente bienvenidas las visitas,
pero son inútiles.
¡Llamar por lo menos siete veces!

De modo que Respingado golpeó la puerta siete veces y, en vista del «por lo menos», otras tres veces más. Luego se quedó escuchando hasta que oyó acercarse un tintineo que sonaba como el tañido de innumerables campanillas. Se abrió la puerta y en ella apareció una figura de lo más extraordinaria. Era un hombrecillo, muy poco más alto que el propio Respingado, vestido con un traje de color rojo chillón, con un sombrero de copa de un rojo igual de chillón y, bajo la gruesa nariz, un imponente bigote negro cuyas guías se curvaban medio metro hacia la izquierda y otro medio a la derecha como dos cimitarras. De sus brazos y piernas, del ala de su sombrero, de las dos orejas e incluso de las puntas del bigote le colgaban cascabeles de plata que sonaban con cada uno de sus movimientos. Y de movimientos no andaba lo que se dice escaso el curioso personaje, que daba brincos y cabriolas casi sin darse tregua. Al mismo tiempo tenía un gesto tan inconfundiblemente lastimero y apesadumbrado que parecía que no le apetecía lo más mínimo dar todos aquellos saltos.

—¡Ajajá! –gritó cuando vio al viajero investigador–. Aquí tenemos a un visitante, no hay duda. No es que me sirva para nada, pero me gustaría saber por lo menos con quién tengo el honor...

—Respingado –dijo Respingado con una pequeña reverencia–. Estanislado Respingado, tontorrónomo y majaderólogo en importante viaje de exploración.

—¡Qué lástima! –contestó el extraño tiparraco, y pegó un salto que hizo tintinear todos los cascabeles–. Yo soy un tal Tabarrón, pero no merece la pena que se dé usted por enterado de ello, respetable señor. ¡Déjelo correr!

—¿Lástima por qué? –preguntó Respingado–. ¿Y por qué no merece la pena?

—Bah, es absurdo que se lo explique, excelencia, porque luego no lo recordará usted en absoluto.

—Le aseguro –repuso Respingado– que suelo tener una memoria bastante buena.

—¡Suelo tener, suelo tener! –gritó Tabarrón, y movió negativamente la cabeza, desanimado–. Eso en mi caso no vale para nada en absoluto. No tiene que ver con su memoria sino conmigo.

Respingado tuvo la impresión de no ser precisamente bien recibido, así que dijo con la cortesía que le era propia:

—Le ruego que me perdone si le he molestado, señor Tabarrón. Quizá sea mejor que vuelva en otra ocasión, cuando tenga usted más tiempo.

—¡Por Dios bendito! ¡Nada de eso! –respondió el tal Tabarrón consternado–. Haga usted el favor de pasar..., aunque no sirva absolutamente de nada.

Respingado siguió al dueño de la casa hasta el interior de la miserable cabaña. Constaba de una sola habitación, los escasos muebles estaban hechos con tablones podridos unidos con clavos –se trataba claramente de madera que las olas habían arrojado a la costa– y la vajilla consistía en latas oxidadas y similares. Curiosamente, la mesa estaba puesta para dos personas.

Tabarrón invitó a Respingado a sentarse a la mesa. Sin dejar de suspirar continuamente, escanció el contenido de un pequeño barril en dos latas.

—Es ron de un naufragio –explicó–. Beba, por favor; de todas formas no va a durar mucho.

—¿De modo que me esperaba usted? –preguntó Respingado. La ostensible desesperación de su anfitrión le inspiraba simpatía.

—Ni por asomo –contestó el fúnebre personaje–. La segunda lata la tenía preparada para mi hermano Gangosete. Pero la verdad es que sobra por completo, porque él no sabe absolutamente nada de mí. Me ha olvidado lo mismo que me olvidan todos. Ese es mi destino en definitiva, querido señor.

Tabarrón parecía estar al borde del llanto.

—Lo siento muchísimo –murmuró Respingado, y bebió un traguito–. Me resulta casi imposible imaginarme que alguien se pueda olvidar de usted con el aspecto que tiene.

Tabarrón asintió con la cabeza, pesaroso.

—Es cierto que me esfuerzo realmente todo lo posible por llamar la atención de cualquier forma. No llevo puesto este traje con campanillas porque me agrade, sino solo con la esperanza de que quizá un día, a pesar de todo, alguien pueda retenerme en su memoria. Pero sé bien que todo es en vano; lo sé muy bien. Se trata de una facultad que todas las demás personas tienen sin que a nadie le llame la atención, pero de la que yo carezco completamente. Y desde siempre, por cierto. Nunca estuve dotado de ella. También usted, respetable caballero, solo me toma por real mientras me tiene delante. En el momento en que nos separemos no sabrá ya nada de mí. Me habrá olvidado por completo como si no nos hubiéramos encontrado jamás. ¿Puede imaginarse lo que eso significa para alguien como yo? ¡Tiene usted ante sí a un personaje trágico!

Prorrumpió en sollozos por un momento y vació de un solo trago el contenido de su lata.

—¿Se trata de una enfermedad? –quiso saber Respingado, y dio un cauteloso sorbito.

El otro volvió a servirse hasta el borde.

—Ya estuve una vez en el médico por esa razón en mis años juveniles, porque me decía: «Tabarrón, está claro que te falta justo eso que a todos les permite permanecer en la memoria de los de-

más». Le describí mi dolencia al doctor con toda precisión. Lo escuchó muy pensativo y luego decidió que necesitaba reflexionar sobre la cuestión.

Y otra vez volvió Tabarrón a vaciar de un solo trago su lata de ron.

—¿Y luego? –preguntó Respingado.

—Luego, nada –respondió Tabarrón, y se enjugó unas lágrimas de los ojos–. En cuanto desaparecí de su presencia, se olvidó de mí, como es natural, de modo que no pudo reflexionar sobre nada en absoluto. Le escribí entonces una carta, pero, lógicamente, eso tampoco sirvió para nada porque no se acordaba de nadie que hubiera ido a verle y se llamara Tabarrón.

—Un fenómeno curioso, ciertamente –admitió Respingado–. De modo que si, por ejemplo, sale usted ahora de la habitación, ¿pensaré que he estado solo todo este tiempo?

—Exacto –suspiró Tabarrón escurriendo las puntas de su bigote, que se habían ido empapando de lágrimas–. Pero no me interprete usted mal, señor mío. No es por eso por lo que estoy llorando. Lloro por mi querido hermano, al que no podré abrazar ni besar jamás... ¡Qué terrible fatalidad!

—Ya, claro –dijo Respingado–. Porque lo cierto es que estaba usted esperando a su hermano. ¿Cómo es que no ha venido?

—No viene nunca, y jamás podrá venir –empezó otra vez a lamentarse Tabarrón–. Mejor dicho, puede que llegue a venir, y hasta es posible que esté ahora aquí, pero eso no me sirve de nada. ¡Es horrible! ¡Es espantoso, de verdad!

—Me deja usted perplejo –confesó Respingado–. Si no le supone mucho esfuerzo, le rogaría que me expusiera el caso con más precisión.

—Se llama Gangosete –empezó Tabarrón–, de eso me acuerdo con absoluta certeza.

—En efecto –intervino Respingado–, he visto ese nombre en el indicador de caminos que hay al pie de la montaña.

—Exactamente –continuó Tabarrón–. Para llegar hasta él sólo hay que seguir la dirección opuesta, aunque él también vive en la cima de esta montaña, en esta misma cabaña. Y sin embargo..., sin embargo...

Se puso a sollozar de nuevo y tuvo que echarse al coleto otra lata de ron antes de tranquilizarse. Respingado aguardó pacientemente.

—Bien, pues la cosa es así –Tabarrón retomó por fin el hilo de su explicación–; somos hermanos gemelos, y tan parecidos que nos podrían tomar al uno por el otro. Y sin embargo somos completamente distintos. Polos opuestos. Con eso quiero decirle que con él pasa exactamente lo contrario que conmigo

–se interrumpió y miró fijamente a los ojos de su huésped–. Dígame, excelencia, ¿no habrá estado usted antes en su casa?

—No, que yo sepa –repuso Respingado–. En todo caso, no lo recuerdo.

Tabarrón movió la cabeza apesadumbrado.

—Esa es la prueba de que no ha estado, porque de él sí podría usted acordarse. En realidad sería de lo único que se acordaría.

—¿Debo deducir de ello que su señor hermano no sufre la misma..., cómo diría yo..., la misma carencia que usted?

—¡Bueno, él también tiene un defecto de nacimiento! –exclamó Tabarrón–. Pero que sufra por él no es algo que pueda decirse, aun con la mejor voluntad. Decía que con él pasa exactamente lo contrario que conmigo. Nadie puede percibir la presencia de Gangosete mientras está delante. Solo cuando ya se ha ido es cuando uno recuerda que estaba allí. Por ejemplo, podría estar aquí con nosotros ahora mismo, y nosotros no lo sabríamos. Pero, en cuanto se hubiera marchado, nos acordaríamos los dos perfectamente de que había estado aquí y de lo que había dicho y hecho.

Respingado no podía librarse de la sensación de que todo empezaba a darle vueltas en la cabeza. Solo por decir algo agradable, murmuró:

—Yo le prometo que saludaré a su señor hermano de su parte si por casualidad me encuentro con él.

—¡Pues no señor! –gritó Tabarrón, que empezaba a perder la paciencia–. Es que no entiende usted absolutamente nada de lo que se le dice. ¿Y quiere usted ser investigador? Es totalmente imposible que pueda usted saludar de mi parte a mi querido hermano gemelo. Primero porque no sabrá usted que se ha encontrado con él hasta después de que haya ocurrido, y segundo porque no se acordará usted ya de mí en cuanto nos hayamos separado. Esa es precisamente la razón por la que él no sabe ni sabrá nunca nada de mi existencia. ¿Ha entendido ya por lo menos eso, señor mío?

Respingado asintió con la cabeza, más por cortesía que por convicción.

—Vale –prosiguió Tabarrón–, le creeré, porque hasta ahora la cosa todavía es bastante simple. La complicación se produce por el hecho de que mi querido hermano Gangosete se me parece tanto que cualquiera podría confundirnos. De hecho lleva la misma ropa con campanillas, sin duda para fastidiarme. Porque, por dentro, nuestros caracteres son completamente distintos. Por ejemplo, al contrario que yo, se pasa de gracioso y está siempre gastando toda clase de bromas pesadas que, a veces, son francamente irresponsables. ¡Ah, le podría contar las faenas verdaderamente gordas que ha hecho! Y se puede desenvolver sin ningún riesgo porque nadie puede advertir su presencia. Naturalmente, yo soy el que paga los platos rotos de sus audacias porque, como nos parecemos tanto, nos confunden a uno con otro. ¿Y cómo podría demostrar que no he sido yo?

—Pero –intervino Respingado–, por lo que puedo ver, esta isla no está habitada, aparte de por usted, naturalmente..., y por su señor hermano, a lo mejor. ¿Cómo es que puede entonces hacerle faenas a nadie?

—Esa es precisamente la razón –explicó Tabarrón– de que vivamos aquí, completamente apartados del resto del mundo. Me resulta muy duro, porque yo soy en el fondo una persona muy sociable. Pero antes, cuando vivíamos en otros lugares y entre otras gentes, la situación era a menudo del todo insoportable para mí. Un par de veces incluso me metieron en la cárcel por fechorías que no había cometido yo, sino mi her-

mano. Y sin embargo no se lo puedo tener en cuenta porque no sabe nada de
mi existencia, a no ser que por casualidad esté en mi casa, algo que yo a mi
vez tampoco tengo forma de saber.

—¿Y no podrían ustedes separarse
–preguntó Respingado– para aliviar ese
penoso destino de usted?

—Pero ¿cómo? –chilló Tabarrón–. ¡Ya
me dirá usted cómo! Y además le quiero
a pesar de todo. Es mi hermano y mi
único pariente.

—Ya veo –dijo Respingado–. Pues entonces no creo que pueda decirle nada
útil, desgraciadamente.

—¿Lo ve usted? –sollozó Tabarrón–.
No hay nada que hacer. Tengo que car-
gar con mi fatalidad yo solo, porque lo
que es a él, a mi hermano, le ha tocado
con mucho la parte más divertida en el
reparto. Por cierto que, si se encuentra
por casualidad con él, no le crea usted
una sola palabra. Al contrario que yo,

nunca es muy riguroso con la verdad. Por decirlo con franqueza, miente en cuanto abre la boca. Pero ¿qué le estoy diciendo? No tiene ningún sentido que le haga, así por las buenas, semejante advertencia porque se va a olvidar usted de mí y de esta conversación en cuanto nos separemos.

—Escuche –dijo Respingado, a quien el continuo lloriqueo de su anfitrión empezaba a resultarle excesivo–, le voy a hacer una proposición. Véngase usted conmigo al barco y acompáñeme en mi viaje de exploración.

Tabarrón se le quedó mirando totalmente desanimado.

—¿Y voy a dejar aquí a mi pobre hermano? ¿Completamente solo y sin nadie que se haga responsable por él de las cosas que haga? ¿Cómo se le ha podido ocurrir tal cosa, señor mío?

—Puede venir él también –ofreció Respingado.

—¿Me puede usted garantizar que vendrá realmente?

Respingado se quedó pensando un momento y luego movió la cabeza negativamente.

—No. Si las cosas son de verdad tal como usted las ha descrito, nunca podría saberlo.

—Ahí lo tiene usted –dijo Tabarrón–. ¿Entiende ahora lo que le decía?

—De todas formas –dijo Respingado levantándose–, yo tengo que irme ya, por desgracia. Me esperan en el barco. Muchísimas gracias por su hospitalidad.

—¿Y adónde se dirige usted? –preguntó Tabarrón, claramente dispuesto a aplazar un poco más la despedida.

—Somos una expedición –aclaró Respingado–. Estamos buscando las misteriosas tierras del Absurdistán. Después de todo lo que he oído, debemos de estar ya bastante cerca.

—Cerca, quizá –meneó la cabeza Tabarrón–, pero no llegarán ustedes nunca.

—¿Y por qué no?

—Eso es algo que debe usted preguntárselo a mi querido hermano Gangosete. De todas formas, le deseo buen viaje, señor mío.

Se dieron un apretón de manos y Respingado se apresuró a salir de la cabaña.

No había a la vista ningún camino que bajara del cono montañoso, así que tuvo que descender como buenamente pudo por el abrupto y desnudo acantilado. Se desplazó pendiente abajo en sentido oblicuo siguiendo una trayectoria espiral alrededor de la montaña color azul ultramar, pues el camino recto hasta el pie resultaba demasiado escarpado.

Al cabo de un rato estaba sin aliento y un sudor brillante le corría por la frente. Se sentó, miró hacia atrás, en dirección a la cima, y observó que tras él, precisamente por donde había ido pasando, se había formado un camino que bajaba caracoleando por el cono hasta el punto preciso en que él mismo se encontraba. Allí terminaba, y ante Respingado no quedaba ya más que el abrupto acantilado.

Cuando por fin alcanzó el pie de la montaña, se encontró precisamente en el punto en que estaba el cartel indicador que señalaba en las dos direcciones, solo que ahora había un camino que subía hacia la izquierda, justo en la dirección que indicaba A CASA DE GANGOSETE.

A Respingado no le sorprendió aquello en absoluto, porque se acordaba perfectamente de que acababa de venir de allí. Había sido un encuentro la mar de divertido, y no podía por menos de seguir sonriendo para sus adentros. Solo por un instante le pareció que había algo raro en la situación, pero no pudo discernir qué. De modo que se encogió de hombros y navegó en su botecito de vuelta al barco.

El capitán seguía sentado en su camarote, como había estado desde el principio del viaje, escribiendo el quiensabecuantésimo tomo de su extensa novela que trataba de un capitán que escribía un libro que trataba de un capitán que escribía un libro... La bodega del barco estaba ya cargada hasta más arriba de la mitad con montones de legajos de papel escrito, pero a la imponente epopeya no se le veía el final.

Cuando llegó Respingado, el escribiente levantó por un momento la vista de su grueso manuscrito, saludó distraídamente y preguntó:

—Bueno, ¿qué tal ha ido la cosa?

—Muy entretenida –repuso Respingado–. Primero he subido a la cabaña de la cumbre de la montaña. En la puerta ponía: *GANGOSETE. Pero no estoy aquí. ¡Búscame!* He entrado, pero era verdad que no había nadie en la casa. He esperado un rato y luego he salido fuera y he dado una vuelta alrededor de la cabaña. Allí me he encontrado un hombrecillo vestido con un traje rojo chillón, un sombrero de copa del mismo color en la cabeza y un inmenso bigote bajo la nariz. Tenía campanillas que le colgaban por todo el cuerpo. Brincaba de un lado a otro riéndose, y me ha dicho: «Señor mío, supongo que quiere usted ver a un tal Tabarrón, ¿no es así?». He asentido, y le ha parecido tan divertido que se ha dado una palmada en el muslo y ha exclamado: «Pues ha picado usted estupendamente en mi anzuelo. Todos los que leen el indicador de abajo caen. Porque debe usted saber, señor mío, que ese Tabarrón no existe en absoluto. Si además de mí viviera alguien aquí arriba en la cabaña, yo tendría que saberlo. Vivo solo aquí, y lo del tal Tabarrón me lo he inventado sólo para divertirme. ¿O acaso le ha visto usted? No, usted no...».

—Vaya, vaya –dijo el capitán–. Muy interesante –y siguió escribiendo su manuscrito.

Respingado se acarició la barbilla y se quedó un ratito pensando.

—Pero hay otra cosa que ha dicho ese Gangosete –continuó–. ¿Qué ha sido? Ya, ahora me acuerdo. Ha dicho: «Cuando me burlo de la gente no tengo por qué preocuparme si por casualidad tropiezo alguna vez con la persona equivocada, una de esas que no entienden ninguna broma. A lo mejor piensa usted que no parezco en realidad lo suficientemente fuerte como para permitirme ese tipo de cosas. Pero mire usted por dónde, señor mío, y eso es justo lo mejor de todo, no tengo por qué estar fuerte para nada porque nadie puede verme mientras yo esté presente. Tampoco usted me está viendo ahora. Luego será cuando se

acuerde de mí. Podría, por ejemplo, bir-
larle ahora mismo todo su dinero sin
que usted se lo oliera siquiera. Más tarde, cuando se acordara de mí, haría ya
tiempo que yo me habría ido. ¿No le parece estupendo?».

—Eso es un perfecto disparate –murmuró el capitán, distraído.

—¡Exacto! –dijo Respingado mientras
rebuscaba en todos sus bolsillos sin encontrar nada. Precisamente en uno de
ellos había metido su monedero antes
de salir.

—¿Ha traído a ese tipo al barco?
–preguntó el capitán.

Respingado, con la mirada perdida,
dijo pensativo:

—Eso es lo que a mí también me gustaría saber.

—Ahora déjeme trabajar –farfulló el
capitán–. Me falta poco para terminar
un capítulo.

Respingado subió a cubierta. Matías Gali, el gigante, estaba al timón.

—¡Levar anclas! –le gritó Respingado–. Proseguimos el viaje.

—¿Con qué rumbo? –preguntó el timonel.

—Norestesuroeste, dos grados –ordenó Respingado.

—¡Ay, ay, ay, señor! –contestó el gran Galimatías.

Índice